INTELIGENCIA EMOCIONAL EN LAS PAREJAS

CÓMO RESOLVER PROBLEMAS

Dulce Molina

editores mexicanos unidos, s.a.

Colección

Amor

D. R. © Editores Mexicanos Unidos, S. A.
Luis González Obregón 5, Col. Centro,
Cuauhtémoc, 06020, D. F.
Tels. 55 21 88 70 al 74
Fax: 55 12 85 16
editmusa@prodigy.net.mx
www.editmusa.com.mx

Coordinación editorial: Mabel Laclau Miró
Diseño de portada: Carlos Varela
Ilustraciones de interiores: Alejandro Mendoza
Formación y corrección: Equipo de producción de
Editores Mexicanos Unidos

Miembro de la Cámara Nacional
de la Industria Editorial. Reg. Núm. 115.

1a edición: junio de 2011

ISBN 978-607-14-0717-7

ISBN (título)   978-607-14-0717-7
ISBN (colección)   978-607-14-0186-1

Impreso en México
Printed in Mexico

9 786071 407177

Introducción

Las relaciones de pareja son una parte fundamental en la vida: desde pequeños nos imaginamos acompañados de una persona a quien amar, que nos ame y con la que podamos envejecer. Sin embargo, la realidad es muy diferente: mantener una relación resulta ser un trabajo difícil gracias a que no se nos ha enseñado cómo resolver los problemas, y a aprender de éstos para lograr una relación más sana.

Gracias a las novelas y películas aprendemos la idea de "...y vivieron felices para siempre". Pero ¿realmente sabemos cómo mantener una relación sana y resolver conflictos con nuestra pareja?

Vivir felices para siempre no es tarea fácil, pero puede ser posible si nos esforzamos.

Cuando comenzamos una relación sentimental es fácil pensar que todo va ir bien, y nos centramos en los momentos felices y en las virtudes de nuestra pareja; pero cuando entablamos una relación más profunda y empieza la rutina, los problemas aparecen.

"… y vivieron felices para siempre", es una frase utilizada comúnmente en cuentos y películas, que nos hace pensar que una relación es fácil y no conlleva esfuerzo.

Los conflictos no ocurren sólo en parejas casadas o que llevan tiempo juntos; a veces surgen pequeñas diferencias desde el principio de la relación, que con el tiempo se convierten en problemas sin solución los cuales pueden llevar a la separación de la pareja.

En este libro aprenderemos algunos aspectos sobre las relaciones de pareja, entre ellos:

- La manera en que nos relacionamos con los demás.

- Cómo influye nuestra personalidad y nuestra familia en la manera en que actuamos con nuestra pareja.

- Reconocer signos de alarma cuando nuestra relación no esté bien.

- Aprender a resolver esos pequeños conflictos para evitar que la pareja se separe.

Para mejorar nuestra relación de pareja aprenderemos ciertas estrategias que nos ayudarán a desarrollar nuestra inteligencia emocional.

Mantener una relación de pareja no es nada fácil: nadie nos ha enseñado a resolver los problemas que surgen en ella; en los cuentos y novelas sólo nos muestran el lado agradable.

Capítulo 1

Las relaciones de pareja

Las relaciones de pareja

A lo largo de la juventud pensamos amar, pero sólo cuando hemos envejecido en compañía de otro conocemos la fuerza del amor

HENRI BORDEAUX

Los seres humanos, por naturaleza, somos entes sociales que buscamos relacionarnos con otras personas; de esta manera, establecemos lazos afectivos que nos impulsan a desarrollarnos con plenitud y a crecer física y emocionalmente.

Existen varios tipos de relaciones:

- Maternal
- Fraternal
- Laboral

- Amistad

- De pareja

Si bien todos ellos son importantes y cumplen diferentes funciones en nuestra vida, nos concentraremos en éste último.

Uno de los objetivos de estar en pareja es lograr una sensación de felicidad y placer al compartir nuestra vida con el otro.

Recordemos que el amor de pareja brinda sentimientos que pueden tener un gran significado emocional. Convivir en pareja tiene muchos beneficios; entre ellos, el placer de encontrar a alguien con quien compartir nuestra vida y actividades.

Amigo, primo, hermano, vecino, hijo... A lo largo de nuestra vida entablamos diversos tipos de relaciones afectivas.

Para comprender mejor cómo se generan conflictos en la pareja, necesitamos saber qué es una relación de pareja y los elementos que la componen.

Es importante ser amigo de nuestra pareja, depositar-le nuestra confianza, establecer lazos de comunicación efectivos, aprender a "ponernos en sus zapatos".

No hay nada más emocionante que iniciar una relación de pareja.

Una pareja es la unión de dos personas que se aman y que de forma voluntaria y libre, a partir de ese vínculo amoroso, construyen un proyecto de vida en común, ya sea a corto o a largo plazo.

Para que pueda conformarse una pareja, deben darse las siguientes características:

- Amistad

- Intimidad

- Admiración

- Confianza

- Comunicación

- Sinceridad

- Atracción sexual

- Proyectos en común

- Compromiso

- Amor

Amistad. Es importante ser amigo de nuestra pareja, aceptarlo, brindarle respcto, depositarle nuestra confianza, establecer lazos de comunicación efectivos, aprender a "ponernos en sus zapatos" para comprender lo que siente y, por último, ser honestos.

Intimidad. Con esta palabra nos referimos al lazo profundo que se teje entre dos personas, al sentimiento de conexión, seguridad y cercanía que existe entre dos seres humanos que deciden unir sus vidas. La intimidad se ve favorecida si existe el respeto, la aceptación y la confianza mutuos.

La amistad requiere de comprensión, apoyo y cercanía.

Admiración. Debemos admirar, por lo menos, alguna cualidad de la otra persona, gracias a ello elegimos a esa persona y no a otra como pareja. Podemos admirar la inteligencia, la humildad, el talento, el sentido del humor, o alguno de sus valores, todo dependerá de nuestro punto de vista.

Confianza. La confianza es fundamental en la pareja; esto significa que creemos en el otro y podemos comunicarle lo que sentimos de una manera abierta.

Comunicación. La confianza, la sinceridad y la comunicación que se da a partir de éstos factores consolida la relación sentimental. El saber decir qué nos gusta, qué nos molesta e informarle al otro qué ocurre en nuestras vidas es también parte fundamental en la relación.

El éxito de una relación depende en gran medida de tener buena comunicación.

Sinceridad. Actuar en función de lo que sentimos y pensamos, y decirle al otro lo que en verdad queremos propiciará una mejor comunicación.

Atracción sexual. Implica el tener la sensación y las ganas de acercarse al otro: abrazarlo, acariciarlo, mimarlo, desearlo y tener relaciones sexuales.

Proyectos en común. En una relación de pareja necesita haber un proyecto a futuro que ambos compartan. Éste puede ser a corto plazo, como disfrutar de una salida al teatro; o a largo plazo, como vivir juntos, casarse, formar una familia. Debe existir compatibilidad entre los proyectos individuales de vida para que una relación pueda mantenerse.

Compromiso. Como pareja debemos comprometernos a amar al otro, asumirlo como persona y tomar la decisión de invertir tiempo y energía en la relación.

Amor. Es la pieza más importanter en la relación de pareja, lo que le da sentido a la unión de dos personas y, aunque no lo es todo, si desaparece, la relación termina.

Para que se pueda formar una relación de pareja, primero debemos desarrollar estas características en nosotros mismos; el primer paso para lograrlo es el autoconocimiento.

SINCERIDAD

El amor significa cariño, confianza, amistad y, sobre todo, sinceridad.

Para desarrollar estas características en nuestra relación primero debemos desarrollarlas en nosotros mismos.

Pero ¿cómo sabemos si en verdad nos conocemos? Para dar respuesta a esta pregunta hagamos el siguiente ejercicio:

Ejercicio 1

¿Conozco la palma de mi mano?

Para este ejercicio necesitas un lápiz y una hoja de papel. Recuerda: seguir las instrucciones y hacer a la par lo que se te pide es la mejor manera para que funcione el ejercicio.

a) Pon la palma de tu mano izquierda sobre la hoja de papel.

b) Traza la silueta de tu mano en la hoja.

c) Sin verla, dibuja sobre la silueta todas las líneas que recuerdes de tu palma izquierda.

Reflexión

¿Fue fácil dibujarla? ¿En verdad me conozco tanto como pienso?

El objetivo de este ejercicio es mostrar que no te conoces tanto como crees. Recuerda que el autoconocimiento es primordial para llevar una relación de pareja; gracias a él sabes quién eres, qué quieres y cuáles son tus virtudes y defectos.

No fue fácil dibujar la palma de tu mano porque no estás acostumbrado a ver los pequeños detalles de las cosas que forman parte de ti, como tu cuerpo. El siguiente ejercicio te ayudará a reconocer esas pequeñas cualidades que te conforman.

---

*¿Conozco la palma
de mi mano?*

Ejercicio 2

Me reconozco

En este ejercicio aprenderás a reconocer quién eres y qué has logrado. Necesitas una hoja de papel y colores.

a) En el centro de la hoja dibuja una nube o una estrella.

b) Escribe tu nombre en medio de ella. Utiliza tantos colores como quieras.

c) Dibuja, en el sentido de las manecillas del reloj, rasgos físicos y de personalidad; por ejemplo, si tienes ojos café, si tienes algún lunar, si eres alegre o enojón.

d) Quizá te preguntes cómo dibujar si eres amable o cortés; quizá piensas que no eres buen dibujante. El sentido de este ejercicio es que conozcas otros rasgos de tu personalidad y actives las dos partes de tu cerebro, ya que para pensar y hablar utilizas el lado izquierdo, y para dibujar, el derecho. De esta manera tendrás una visión más amplia de quién eres.

e) Para ayudarte en este ejercicio, cierra los ojos antes de hacer cualquier dibujo, respira profundo y recuerda cuáles son las cosas que te caracterizan, que te hacen único y te diferencian de los demás. No importa si estas cualidades son virtudes o aspectos negativos, lo importante es plasmar lo que eres.

Reflexión

Con este ejercicio lograrás conocerte mejor, reconocer tus defectos y virtudes y, además, ejercitar el hemisferio izquierdo de tu cerebro, el cual se encarga de manejar las emociones.

Resumen

- Una pareja es la unión de dos personas que se aman y se relacionan de manera voluntaria y libre. A partir de ese vínculo construyen un proyecto de vida juntos, el cual puede ser a corto o largo plazo.

- En una pareja debe existir amistad, intimidad, confianza, comunicación, atracción sexual, proyectos en común, compromiso y amor.

Etapas en la relacion de pareja

Elegir y mantener una pareja no es tarea fácil. Algo que sin duda nos ayuda a tener una mejor relación es conocer las etapas por las que pasan las parejas. De esta manera comprenderemos qué pasa tanto en nosotros como en nuestra pareja, y resolveremos mejor los problemas que se presenten.

Desde que Lorena tiene novio ya no tiene tiempo para nadie más.

Al iniciar una relación somos rehenes del amor.

Todas las relaciones cambian con el paso del tiempo: existen momentos felices y también momentos de desilusión. A veces, frente a ciertos problemas no lograremos ponernos de acuerdo por más intentos que hagamos. Estos y otros retos son fáciles de predecir y resolver si conocemos las distintas etapas que pasa una relación de pareja y lo que se desarrolla en cada una de ellas. En toda relación existen cinco etapas:

- Primera Etapa. Deseo y atracción

- Segunda Etapa. Enamoramiento

- Tercera Etapa. Lucha por el poder

- Cuarta Etapa. Amor real

- Quinta Etapa. Vínculo o compromiso

Antes de hablar sobre ellas, realiza este pequeño test para ubicar dónde se encuentra tu relación de pareja actualmente. A continuación se plantean cuatro preguntas sencillas y fáciles de evaluar. Responde con honestidad y recuerda anotar la respuesta que elijas en un papel:

TEST

1. Cuando no veo a esa persona especial porque tiene otros compromisos que cumplir, yo...

a) Aprovecho el día para ir a comer con mis amigos que hace tiempo no veía y ponerlos al tanto de lo que me ha pasado.

b) Me siento nervioso, no me gusta separarme de mi pareja ya que hacemos muchas cosas juntos.

c) Le hago un berrinche o me enojo; deberíamos pasar más tiempo juntos.

d) Me siento tranquilo; conozco a mi pareja y acepto que en algunas ocasiones tiene que cumplir con otros compromisos.

e) No lo abrumo y espero hasta el día que quedamos en salir.

2. Si tuviera que describir a esa persona especial, yo diría que es…

a) Una persona a la que conozco en muchos aspectos, con quien he convivido tantos años y con la que comparto un proyecto a futuro.

b) La persona ideal… mi príncipe azul o mi princesa.

c) La persona con la que más discuto, porque siento que intenta controlar la relación.

d) Una persona con defectos y virtudes, pero a la que quiero tal y como es porque la conozco.

e) Una persona que a primera vista resulta atractiva e interesante.

3. Cuando tenemos problemas...

a) Hablamos y llegamos a un acuerdo; nos conocemos bastante bien y hemos aprendido la manera de resolverlos, ya que tenemos un proyecto de vida juntos.

b) Con un beso y abrazo se resuelve todo.

c) Discutimos porque sé que tengo la razón, y no puedo dejar que me controlen.

d) Hablamos, conocemos nuestras cualidades y defectos y nos aceptamos como somos; así que empezamos a descubrir la manera de resolverlos.

e) Nos desconcertamos porque tenemos poco tiempo de conocernos.

4. Mi pareja...

a) Tiene tantas aficiones que no sabría por cuál empezar.

b) Comparte lo que a mí me gusta, ya que hacemos todo juntos.

c) Discute o está en desacuerdo conmigo.

d) Tiene muchos gustos, pero uno que compartimos es haber planeado un proyecto de vida juntos.

e) Apenas le conozco, así que no sabría decir con exactitud lo que le gusta.

Respuestas

Verifica qué respuesta elegiste con más frecuencia y conoce el resultado de acuerdo con la siguiente tabla:

Mayoría de A:	Etapa 5.	Vínculo o compromiso
Mayoría de B:	Etapa 2.	Enamoramiento
Mayoría de C:	Etapa 3.	Lucha por el poder
Mayoría de D:	Etapa 4.	Amor real
Mayoría de E:	Etapa 1.	Deseo y atracción

A continuación, describiremos cada una de las etapas de la relación. Recordemos que podemos estar en una u otra etapa, en transición, y no necesariamente pertenecer a una sola.

Al calor de miradas seductoras inicia la conquista.

Primera etapa

Deseo y atracción

En esta etapa conocemos a nuestra pareja y nos sentimos atraídos por sus aficiones, por su manera de ser o por su físico; ponemos en juego todo un abanico de técnicas de seducción para conquistarlo; mostramos los aspectos que queremos que conozca de nosotros, pero no quiénes somos en realidad; finalmente, mostramos mayor disposición para que la relación funcione y la persona nos dé el tan ansiado sí.

En esta etapa confirmamos nuestras ideas respecto al otro, si era lo que pensábamos cuando lo veíamos pasar o conversar con nuestros amigos; también nos damos cuenta si compartimos los mismos intereses o si somos totalmente opuestos; aún no hay formalidad; empezamos a frecuentarnos más y, con el paso del tiempo, nos damos cuenta si la relación evolucionará o si sólo se quedará en amistad.

Una relación termina por falta de interés de alguno de los dos. A veces no compartimos los mismos intereses, porque no hay tiempo suficiente para salir y conocerse mejor, chocan los ideales, o simplemente la relación funciona mejor si sólo se queda en amistad.

1ª etapa en la relación de pareja.
Deseo y atracción

Es cuando mostramos los aspectos que queremos que conozca de nosotros, pero no quiénes somos en realidad.

Segunda Etapa

Enamoramiento

En esta etapa existe un compromiso, la relación es más formal, disfrutamos más de la compañía de nuestra pareja y queremos pasar la mayor parte del tiempo con ella. El sentimiento del amor es más profundo y empezamos a entrelazar nuestra vida con la del otro. Seguimos mostrando la parte más agradable de nosotros y los problemas que se llegan a tener tienden a olvidarse con un beso o un abrazo.

Es la etapa de la ilusión y la distorsión, comenzamos a tener fantasías de compartir un futuro con el otro, así que sólo vemos los aspectos positivos de nuestra pareja y hacemos a un lado los negativos.

Entre besos, abrazos y caricias… un romance apasionado se cocina.

Sin embargo, en esta etapa debemos estar más atentos y ser realistas, pues en ella la mayoría de las parejas decide si continúa la relación o no. Las razones pueden ser muchas y muy distintas, entre las más comunes destacan: el miedo a perder la libertad, caer en la rutina, no compartir aficiones, haberse dejado llevar sólo por la ilusión hasta que alguno se da cuenta de que no es lo que quiere.

2ª etapa en la relación de pareja. Enamoramiento

La relación ya es más formal; disfrutamos más de la compañía de nuestra pareja; no queremos separarnos de ella ni un momento.

Si la relación termina en esta etapa resulta muy doloroso. Los sentimientos que quedan son de nostalgia por aquello que no se pudo concretar y que sólo quedó en nuestra imaginación.

En ocasiones las relaciones no terminan en este periodo porque se mantiene la ilusión en ambos. Cuando estamos enamorados aún no sabemos si va a funcionar o no, sólo tenemos ilusiones y deseos que esperamos se cumplan en el futuro. Por eso, si alguno pierde el interés y la relación termina, el que estaba ilusionado va a sufrir por la nostalgia, porque sólo vivirá con las ilusiones y sueños de algo que nunca pasó.

En la etapa del enamoramiento tendemos a distorsionar la realidad y a ver sólo los aspectos positivos de nuestra pareja.

Tercera Etapa

Lucha por el poder

En esta etapa inicia la lucha de poder; es decir, probamos a nuestra pareja para ver cuánto podemos conseguir y quién lleva el control. Muchas parejas se disuelven en esta etapa. Sin embargo, si se logra superarla se construye la confianza y comunicación en la pareja.

Los conflictos habituales en esta etapa son, por ejemplo, que uno quiera ir al cine y el otro quedarse en casa viendo un partido, o desear ver películas diferentes o salir a lugares distintos. Los conflictos llevan a una lucha de poder para ver quién puede y logra más. Esto lo hacemos como un mecanismo de defensa, para protegernos y no perder nuestra individualidad y nuestra toma de decisiones. Si este periodo se supera, significa que hemos hecho a un lado al egoísmo y que nos pondremos de acuerdo con nuestra pareja para saber cuándo hacer cosas en común, y cuándo debe hacer cada quien, por su parte, lo suyo.

Si no aprendes a ceder, puedes convertir tu relación en un infierno.

En esta etapa es importante que haya comunicación y confianza para hablar directamente sobre las necesidades de cada uno. Se debe establecer y definir los roles de cada uno y, además, estar conscientes de lo que cada quien puede aportar y de cuáles son sus límites en la relación, evitando, de esa manera, crear falsas expectativas.

3ª etapa en la relación de pareja.
Lucha por el poder

Los conflictos habituales en esta etapa
son, por ejemplo, que uno quiera ir al cine
y el otro quedarse en casa viendo
la televisión.

Cuarta Etapa

Amor real

En esta etapa se pasa del enamoramiento y la ilusión a una emoción más fuerte y estable, llamada amor real. Esta sensación se produce no por la ilusión de lo que queremos o creemos ver en la otra persona, sino por los momentos que hemos vivido juntos, porque conocemos cómo es la persona y la aceptamos así, con sus virtudes y defectos.

Sin embargo, este periodo no está exento de problemas y conflictos, y se toma conciencia de que el ideal de persona que imaginamos no existe. De la manera en que esto se resuelva dependerá si continúan juntos o no. Si nuestra pareja no era lo que buscábamos, o no cumple con nuestras expectativas, la relación terminará, haya o no amor de por medio.

En esta etapa los vínculos de confianza se estrecharán y será tiempo de preguntar, ¿qué podemos crear juntos?, en vez de, ¿qué puedo obtener de esta relación? También es importante demostrar entusiasmo y tener una mejor comunicación, ya que muchas veces, para evitar conflictos, decimos que sí a todo. Es mejor ser sinceros y llegar a acuerdos que ceder en todo. Así evitaremos explotar y decir cosas de las cuales nos podríamos arrepentir después.

Si la etapa se prolonga le daremos un sentido de plenitud a la relación, un grado máximo de intimidad y un sentido profundo de la confianza mutua, además de que la alegría acompañará a la relación.

4ª Etapa en la relación de pareja.
Amor real

Esta sensación se produce no sólo por la ilusión de lo que queremos o creemos ver en la otra persona, sino por los momentos que se han vivido juntos, porque conocemos cómo es la persona y la aceptamos así, con sus virtudes y defectos.

Quinta Etapa

Vínculo o compromiso

Si la relación ha tenido éxito, en esta etapa la comunicación mejorará y se generará un estrecho vínculo de intimidad y apoyo. Es el momento en que se puede adquirir un compromiso a largo plazo, como casarse o formar una familia; todo depende de los intereses de ambos miembros de la pareja y de que puedan conformar un plan de vida juntos.

Sin embargo, en este periodo puede iniciar la rutina. Si no comprendemos que los sentimientos de locura y pasión deben modificarse y reemplazarse por una estabilidad emocional, se buscará salir de la relación o, quizá, se caerá en la monotonía.

¡A consolidar la relación!

Es importante aceptar que en una relación estable el sentimiento de amor se transformará en algo más profundo. Por lo mismo, será necesario renovar la relación cada día.

Todas las etapas de una relación de pareja son interesantes; sin embargo, para poder pasar a través de ellas lo primero que necesitamos tener es una pareja. A veces no sabemos qué buscamos en el otro o qué podemos ofrecerle; por lo tanto, el siguiente ejercicio nos ayudará a encontrar lo que queremos de la otra persona.

5ª Etapa en la relación de pareja.
Vínculo o compromiso

*En una relación estable el sentimiento de amor
se transforma en algo más profundo; es
importante renovar cada día la relación*

Ejercicio 3

Elección de pareja

El siguiente ejercicio te ayudará a aprender y a reconocer lo que buscas en el otro. Recuerda que a veces, aunque deseas a una persona determinada, puede llegar alguien diferente que te robe el corazón y no concuerde con lo que imaginabas. Este ejercicio te ayudará a tener un referente sobre lo que te gustaría encontrar en una pareja.

a) Corta una hoja a la mitad. Repite la operación hasta que te queden ocho pedazos.

b) En cada uno de ellos escribe cualidades que te gusten de ti o de las personas a tu alrededor.

c) En otra hoja dibuja una persona; ésta reflejará a tu pareja.

d) En el dibujo pega las cualidades que quieres encontrar en tu pareja.

c) Guarda el dibujo en un lugar próximo a ti.

e) Ese dibujo te recordará lo que buscas en tu pareja.

Reflexión

Este ejercicio te ayudará a identificar lo que buscas en una pareja; así, al conocer a alguien te será más fácil reconocer si cumple o no tus expectativas.

Resumen

- Las etapas en las relaciones de pareja son cinco: Deseo y atracción, Enamoramiento,

Lucha de poder, Amor real, y Vínculo o Compromiso.

- De la resolución satisfactoria de los problemas en cada una de estas etapas dependerá el éxito de nuestra relación.

El amor en la pareja

Un esposo fue a visitar a
un sabio consejero y le dijo que

ya no quería a su mujer y
que pensaba separarse.

El sabio lo escuchó, lo miró a los ojos
y solamente le dijo una palabra:

ÁMELA, y luego calló.

Pero es que ya no siento nada por ella.

Ámela, repuso el sabio.

Ante el desconcierto del hombre,
el sabio agregó lo siguiente:

Amar es una decisión,
no un sentimiento.

Amar es dedicación y entrega.

Amar es un verbo y el fruto
de esa acción
es el amor.

El amor es un ejercicio de jardinería:
arranque lo que hace daño.
prepare el terreno, siembre, sea paciente, riegue y cuide.

Esté preparado porque habrá plagas,
sequías o excesos de lluvias.
Más no por eso, abandone el jardín.
Ame a su pareja, es decir: acéptela,
valórela, respétela, dele afecto
y ternura, admírela y compréndala.

Y eso es todo: ámela.

REFLEXIÓN ANÓNIMA

El amor, una de las emociones más hermosas que pueda sentir el ser humano, nos lleva a ser mejores personas y a disfrutar más de la vida. Carecer de él produce una sensación de aislamiento y falta de pertenencia.

Para el psicólogo Erich Fromm, el amor es una capacidad propia del hombre, un poder que rompe las barreras que lo separan de sus semejantes y lo une a los demás. De acuerdo con esto, el amor nos permite superar el sentimiento de aislamiento y en él ocurre la paradoja: hace posible que dos seres se unan sin que ninguno pierda su individualidad.

Existen diferentes tipos de amor, por ejemplo:

- El que sentimos por nuestra madre.

- El que sentimos por un hermano.

Amor
Lección
introductoria

Lecciones de amor. Para Erich Fromm el amor es un arte que debemos aprender de la misma forma en que aprendemos música o pintura.

- Por nuestra mascota.

- Por algún objeto que nos guste mucho.

También está el amor de pareja, que aunque es uno de los más bonitos, es uno de los más difíciles de expresar.

De acuerdo con Erich Fromm, el amor maduro obedece a los siguientes principios:

· *Me aman porque amo.*
· *Te necesito porque te amo.*

El amor en la pareja es un sentimiento que debe trabajarse; no depende de la suerte, el azar o la apariencia física, sino de lo que hacemos por alimentarlo día a día. A veces nos cuesta trabajo comprender que los sentimientos no son mercancías que podemos comprar o regalar, que no son objetos que nos ayudan a satisfacer nuestras necesidades o carencias.

Amar implica un compromiso con nosotros mismos y con el otro; no depende de si somos esbeltos o inteligentes, sino de nuestra disposición, capacidad y esfuerzo.

Para amar es importante ser confiable, humilde, valiente, constante y, sobre todo, emocionalmente estable; es decir, ser congruente en lo que pienso, siento y hago. Si no lo somos, difícilmente podremos amar sanamente a alguien, ya que depositaremos en nuestra pareja todas nuestras carencias y necesidades. El amor verdadero nos exige conservar nuestra individualidad e integridad para construir un proyecto en común.

El amor en la pareja es un sentimiento que debe trabajarse, no depende de la suerte, el azar o la apariencia física, sino de lo que hacemos por alimentarlo día a día.

Para que la relación de pareja sobreviva es necesario que haya amor. Éste es el elemento que debe prevalecer, y cuando ya no esté presente, la relación debe terminar.

El primer paso para amar a nuestra pareja es aprender a amarnos a nosotros mismos. No podemos amar a alguien más si no hemos aprendido a querernos y aceptarnos como somos, a valorarnos como seres humanos y a estar orgullosos de lo que hemos logrado. Por ello hemos realizado una serie de ejercicios que nos ayudarán a conocernos, aceptarnos y querernos, y a reconocer qué buscamos en alguien más.

El amor verdadero nos exige conservar nuestra individualidad e integridad para construir un proyecto en común.ç

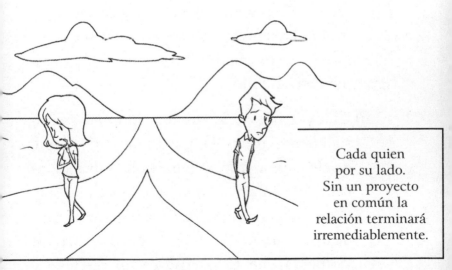

Cada quien por su lado. Sin un proyecto en común la relación terminará irremediablemente.

Ejercicio 4

Me quiero y me acepto como soy

Con este ejercicio aprenderás a quererte y a aceptarte tal cual eres. Lograrlo no es fácil; sin embargo, con la ayuda de este ejercicio y un esfuerzo diario podrás hacerlo. El ejercicio consta de dos partes: la primera es de relajación y la segunda de diálogo con tu cuerpo. En ambas aprenderás a querer a tu cuerpo y a darle las gracias por permitirte ser la persona que eres.

a) Para comenzar, busca un lugar agradable donde te puedas relajar. Respira profundamente. Recuerda inhalar y exalar lenta y profundamente, y enviar el aire a todas las partes de tu cuerpo hasta que estés totalmente tranquilo.

b) Una vez que te hayas relajado, recorre visualmente todas la partes de tu cuerpo, desde la uña de tu pie hasta la punta de tu cabello e inicia un diálogo con cada una, dales las gracias por brindarte la vida, por dejarte caminar, respirar, sentir y pensar. Recuerda que tu cuerpo es un ser vivo y que, al igual que las plantas, cuando no lo tratas bien puede deprimirse, e incluso enfermarse.

c) Agradécele también por dejarte llegar hasta este momento de tu vida y por hacerte único en el universo. No olvides decirle que lo amas y que vas a cuidar de él todos los días. Por ejemplo:

• Pie, te doy gracias por tu existencia, por soportar el peso de mi cuerpo y por ayudarme a sostenerme y no dejarme caer.

• Brazos, les agradezco que me permitan abrazar a los que quiero; por eso, prometo cuidarlos y amarlos todos los días de mi vida.

d) Al terminar este ejercicio, abre los ojos y dirígete a un espejo; mírate en él y analiza bien todo lo que te caracteriza, qué te hace único, qué te gusta y disgusta; luego di en voz alta que te amas y te aceptas como eres, pues eres único y no hay nadie igual en el mundo.

e) No olvides que es importante darte las gracias, al despertar y antes de dormir, por lo maravilloso que eres y por lo que has logrado durante el día.

Reflexión

Este ejercicio te permite conocerte mejor, y es un espacio para estar tranquilo y relajado.

Ejercicio 5

Conozco mis cualidades y defectos

Este ejercicio te ayudará a conocer tus cualidades y defectos, trabajar en ellos.

a) En una hoja dibuja un cuadro grande y divídelo en dos. En uno de los lados escribe las cualidades que crees tener; si son pocas no te asustes, es normal: la mayoría de la gente tiende a resaltar lo negativo. Recuerda que si no logras escribir más de dos virtudes es porque tu autoestima está baja y debes trabajar en ella. Si por más que reflexionas no encuentras más cualidades, pregúntale a la gente cercana qué cualidades ve en ti. En el otro lado del cuadro escribe los defectos que crees tener.

b) Intenta escribir más cualidades que defectos o, por lo menos, que la cantidad de ambos sea igual.

c) Una vez completado el cuadro, relee tus cualidades. Recuerda que tus cualidades son todos aquellos aspectos agradables o positivos que puedes ofrecerle a tu pareja para que crezca a tu lado.

d) Ahora, concéntrate en tus defectos. Escribe en otra hoja qué características y actitudes negativas puedes modificar y de qué manera puedes hacerlo. Revisa la lista todas las noches y elige un defecto con el cual puedas trabajar cada día; hay pequeñas acciones que generan cambios. Por ejemplo, si eres serio y quieres modificar tu actitud, empieza por saludar a todos en tu trabajo con una sonrisa.

e) De esta manera lograrás mejorar y crecer como persona.

Reflexión

Seguramente, antes de realizar este ejercicio no te habías percatado de todas tus cualidades.

¿Tiendes a puntualizar sólo tus defectos y olvidas lo positivo? No olvides que tienes cosas positivas qué ofrecer a tu pareja y que para brindarlas primero debes reconocerlas; si no crees en ti mismo, no podrás ofrecerle esa parte positiva. Si logras trabajar en tus defectos, podrás aprender a brindar más de ti, porque así reconocerás tanto tu lado positivo como negativo. Además, trabajar en ellos te permite conocerte más y estar consciente de tus límites; de esta manera podrás ser flexible contigo mismo.

¡Qué bonita soy!
Quiérete como
eres, recuerda
que la perfección
no existe.

Ser flexibles contigo mismo te permitirá amarte y perdonarte a pesar de los defectos (amor incondicional), de lo que tengas o hagas, y de esta manera estarás en mayores posibilidades de tener una relación de pareja más satisfactoria y, en general, lograrás establecer mejores relaciones sociales.

Resumen

- Conocerte a ti mismo favorecerá tu crecimiento personal lo cual, a la larga, te llevará a elegir mejor a tu pareja y a que tu relación sea más próspera.

Capítulo 2

La Inteligencia Emocional

La Inteligencia Emocional

> No somos responsables de las emociones, pero sí de lo que hacemos con ellas.

"Llegué a casa muy hambriento, había trabajado todo el día y lo único que quería era comer y descansar un poco. Cuando llegué, mi esposa no estaba en casa. Lo primero que pensé fue que se había ido con su hermana. No sabía la hora a la que regresaría y me sentí molesto, así que marqué a su casa, pero no estaba allí. Pensé: '¿Dónde andará?, ¿le habrá ocurrido algo? Seguramente está con sus amigas'. También creí probable que hubiera ido al supermercado a comprar comida, por lo que me preparé para salir a buscarla, pero en ese momento ella llegó.

Le pregunté en dónde había estado. Me respondió que había ido al doctor y dijo algo más que no entendí, pero no le presté atención. Le grité le dije que me había preocupado, que la comida no estaba hecha y que era muy tarde para andar sola en la calle. Me reclamó y dijo que si tenía tanta hambre me hiciera yo solo de comer. Me puse rojo de coraje, sentí cómo subía el calor a mis orejas y a mi rostro. Le dije que estaba cansado, que sólo quería comer. Se fue muy enojada, me insultó y me dejó hablando solo."

¡Contrólate! Evita conflictos, aprende a controlar tus emociones y de paso mejora la comunicación con tu pareja.

El testimonio anterior pertenece a un hombre que asiste a terapia. En él, se reflejan los problemas que ocurren cuando las parejas no tienen comunicación y confianza en su relación y, sobre todo, cuando no controlan sus emociones.

Como dijimos antes, en este libro te ayudaremos a aprender técnicas basadas en la Inteligencia Emocional para mejorar tu relación de pareja, hacerla más sólida y sana, y que sea una relación de crecimiento y aprendizaje mutuo.

La inteligencia emocional es la habilidad de sentir, comprender y controlar nuestras emociones; con ella podremos modificarlas y utilizarlas a nuestro favor.

En el primer capítulo definimos qué es una pareja, cómo se constituye y las etapas por las que atraviesa; ahora, abordaremos el tema de la Inteligencia Emocional y cómo puede ayudarnos.

Empezaremos por definir las emociones: lo qué son, para qué nos sirven, cómo las aprendemos, cómo influyen en nuestra personalidad, en nuestra relación de pareja y en nuestra vida cotidiana.

Esta es una de las partes más importantes, ya que las emociones constituyen la base de nuestros actos; a partir de ellas tomamos nuestras decisiones, nace nuestra manera de ver la vida y la manera en que nos relacionamos con los demás.

Las emociones

Una emoción es *una reacción espontánea que surge de nuestro interior ante una persona, lugar, situación o pensamiento*. Veamos el siguiente ejemplo:

Vamos con nuestro pequeño sobrino al supermercado a comprar la comida para la semana. Él no tiene más de cuatro años de edad. Mientras observamos los juegos que están en la parte trasera de la caja de cereal, lo perdemos de vista: al voltear a buscarlo no lo encontramos. Lo primero que pensamos es en los miles de niños que año con año desaparecen y a los que su familia no vuelve a ver. También pensamos en lo que le pudo haber pasado, en lo que ocurrirá si no lo encontramos o en que, quizá, esté en la sección de juguetes. Después de pensar en todas las posibilidades, decidimos gritar su nombre por los pasillos y, por último, pedimos que lo voceen.

Emociones en acción. Miedo, angustia o desesperación. ¿Qué sentirías ante esta situación?

En este ejemplo observamos que:

- Se nos presenta una situación: la pérdida de nuestro sobrino. Esto desata, desencadena o detona ciertos pensamientos e ideas que nos llevan a sentir una emoción.

- A continuación, se presenta la emoción (tristeza, enojo o miedo), acompañada de cambios físicos como sudoración o palpitaciones.

- Al final, se presentan dos acciones: primero, gritar y, luego, pedir ayuda. De esta manera reaccionamos ante la situación, la enfrentamos y la solucionamos.

Este es el proceso por el que pasa una emoción. Todos los días se nos presentan miles de vivencias en las que debemos decidir qué hacer gracias a lo que sentimos. Las emociones se presentan porque somos capaces de reaccionar al ambiente y de hacer algo dependiendo de la situación a la que nos enfrentemos. De hecho, la palabra emoción, por sus orígenes, significa impulso que induce a una acción".

Las emociones nos caracterizan a los seres humanos por las siguientes razones:

a) Mediante ellas nos ponemos en contacto con nosotros mismos.

b) Nos relacionamos con los demás.

c) Nos ayudan a darle sentido a nuestra perspectiva del mundo y de los acontecimientos que nos rodean.

Ejercicio 6

Aprendo a sentir

En ocasiones estás tan atareado en tu vida diaria que dejas de estar en contacto con tu cuerpo y tus emociones. El siguiente ejercicio te ayudará a ponerte en contacto con tus emociones.

El ejercicio consta de cinco secciones, en las que cuales estimularás cada uno de tus sentidos. Cada sección es sencilla y fácil de llevar a cabo. Comencemos:

a) Busca un objeto relacionado con cada sentido; por ejemplo: tu disco favorito, la fruta que más te gusta comer, el perfume que usas a diario, alguna prenda que tenga una textura agradable, una foto de algún viaje.

b) Busca una mascada, coloca los objetos que escogiste en la mesa y reproduce tu disco favorito.

c) Con la mascada venda tus ojos. Pon especial atención en la música, en cómo llegan las ondas sonoras a tus oídos y en qué sensación percibes. Intenta reconocer la emoción que te produce. Piensa si te recuerda algún momento de tu vida.

d) Con los ojos vendados busca la fruta: tócala, huélela, saboréala, ya sea comiendo pequeñas porciones o sólo lamiéndola por encima. ¿Cuál es la sensación que te produce? ¿Te viene algún recuerdo a la mente?

e) Ahora busca la fragancia, destápala y percibe el aroma. Al igual que en ocasiones anteriores, ponte en contacto con tu cuerpo, en cómo siente, si recuerdas algo.

f) Toma la prenda, pásala por tu cara y brazos, tócala con delicadeza. Recuerda alguna experiencia, siente la emoción que te produce.

g) Cuando hayas terminado, quítate la mascada y observa la foto. Intenta reconocer tanto la sensación como la emoción que te produce recordar el momento que captaste en la fotografía.

Reflexión

Con este ejercicio notarás que la emoción y los sentimientos nos hacen humanos; es importante detenernos y darnos cuenta de qué manera, mediante nuestros sentidos, recibimos información que transformamos en emociones y en recuerdos que nos ayudan a disfrutar de la vida.

La emoción es una reacción espontánea que surge de nuestro interior ante una persona, lugar, situación o pensamiento.

Las emociones y su función

Las emociones tienen una finalidad: *nos sirven para que nuestro organismo se adapte a lo que nos rodea*; la adaptación nos ayuda a sobrevivir. De la misma manera que los pulmones nos ayudan a respirar para no morir, las emociones nos ayudan a sobrellevar *las vivencias que se nos presentan cada día.*

Con apenas unos meses de vida aprendemos a reconocer nuestras emociones; a medida que crecemos conocemos más, ya sea a través de las vivencias familiares o de lo que nos pasa. Aquello que a una persona le produce miedo, a otra persona le puede producir ira.

¿Cómo te sientes hoy? Las emociones son planes instantáneos para enfrentarnos a la vida.

Existen diferentes emociones; algunas de ellas son:

a) Miedo

b) Ira

c) Alegría

d) Tristeza

e) Ansiedad

f) Sorpresa

g) Aversión

El *miedo* surge frente a una posible amenaza o peligro, para protegernos de lo que ocurre en el exterior. La *ira* nace ante a una injusticia o cuando algo no sale como lo planeamos. La *alegría* nos brinda una sensación de bienestar y seguridad. La *tristeza* ocurre cuando perdemos algo, nos ayuda a reincorporarnos y a seguir adelante después de esa pérdida. La *ansiedad* viene cuando no podemos controlar una situación. La *sorpresa* es la sensación que tenemos cuando ocurre algo inesperado y nos ayuda a orientarnos nuevamente. La *aversión* nos lleva a alejarnos y a rechazar algo que no nos gusta y que puede generar algún daño.

Las emociones nos ayudan a sobrellevar las vivencias que cada día se nos presentan.

¡Difícil de creer! En el estricto sentido de la palabra no existen emociones "buenas" o "malas", todas cumplen una función específica.

Antes de continuar con este tema, hagamos otro breve ejercicio.

Ejercicio 7

Emociones buenas y malas dentro de mi relación de pareja

Este ejercicio te ayudará a reconocer si las emociones con las que te enfrentas en tu relación de pareja son buenas o malas.

a) Primero busca lápiz y papel.

b) En la hoja, haz un recuadro y divídelo en dos columnas. En la primera, escribe las emociones que consideres buenas dentro de tu relación y por qué; en la segunda, aquéllas que consideres malas y por qué.

EMOCIONES BUENAS	EMOCIONES MALAS
1._____.	1._____.
Por_____.	Por_____.
2._____.	2._____.
Por_____.	Por_____.
3._____.	3._____.
Por_____.	Por_____.
4._____.	4._____.
Por_____.	Por_____.

c) Una vez que hayas terminado, reflexiona sobre lo que escribiste. Es importante releerlo y así darte cuenta si lo que escribiste en la hoja es por alguna vivencia en particular que tuviste.

Cuando consideras que dentro de tu relación una emoción es mala es porque no la sabes controlar y, por ello, te ha traído problemas. Por el contrario, las emociones buenas te traen un recuerdo agradable de alguna vivencia.

Reflexión

Este ejercicio es importante porque te ayudará a identificar cuál es la emoción que más trabajo te cuesta dominar, aunque es probable que sea la ira o el miedo, pues son las emociones más difíciles de controlar.

Es necesario aclarar que aunque este ejercicio te ayudará a identificar las emociones que más problemas te causan, ninguna emoción por sí misma es buena o mala, ya que cada una de ellas te ayuda a hacer frente a alguna situación, por ejemplo:

- **Miedo.** Ayuda a protegernos de las amenazas del ambiente. Por ejemplo, al cruzar la calle escuchamos el ruido del motor de un coche y nos ponemos en alerta para evitar que nos atropellen.

- **Ira.** Nos induce a tener fuerza y coraje frente a situaciones que lo requieren. Por ejemplo, si una situación es incómoda y nos molesta, gracias a la ira podemos protestar y declarar que no queremos que se produzca.

- **Alegría.** Nos induce a disfrutar de los momentos que vivimos día a día, como cuando estamos en una fiesta muy divertida. Gracias a esta emoción disfrutamos más de los momentos agradables.

- **Tristeza.** Nos motiva hacia una nueva reintegración personal. Por ejemplo, cuando perdemos a un ser querido, la primera reacción es la de sentir tristeza. Eso nos ayuda a valorar lo que perdimos y a guardarle duelo, para luego dejarlo ir y continuar con nuestra vida.

Cualquier emoción puede estar dentro de las casillas de negativas y positivas, todo depende de si las controlamos o no, o de si provoca problemas en nuestra relación.

No hay emociones buenas ni malas, sino reacciones que pueden ser positivas o negativas.

Ejercicio 8

Cómo reconozco mis emociones

En el ejercicio anterior aprendiste a reconocer las emociones que te provocan más problemas y a darte cuenta que por esa razón las catalogas como negativas. Ahora, es tiempo de comprendas cómo reaccionas ante las situaciones en función de cómo te sientes.

a) Busca una hoja y una pluma.

b) Escribe en ella el cuestionario que se presenta a continuación.

c) Después de cada oración, describe la conducta o acción que realizas de acuerdo con
la situación y emoción que se presenta.

Cuando me siento enojado, yo:_____

Cuando me siento triste, yo: _____

Cuando me siento alegre, yo: _____

Cuando me siento con miedo, yo: _____

Cuando me siento nervioso, yo: _____

d) Llena los espacios en blanco con lo primero
que te venga a la mente. De esa manera te
darás cuenta cómo reaccionas ante las diferentes situaciones.

Reflexión

Con este ejercicio te darás cuenta de la manera
en que enfrentas las situaciones que se te presentan en la vida. Reflexiona acerca de cómo

reaccionas ante ellas, qué haces cuando sientes cada emoción; y si alguna de tus conductas te provoca algún problema o incomodidad, es hora de hacer algo por cambiarlas.

Tiempo de cambiar. Manejar y transformar una emoción requiere de autoconocimiento y reflexión.

La familia y las emociones

Cuando crecemos, reflejamos lo que aprendimos en casa y en la escuela. Por ejemplo, si el papá se enoja por cualquier detalle, existe la posibilidad de que cuando el hijo sea mayor tenga tendencia a enojarse por cualquier cosa que pase a su alrededor; o si la mamá llora cuando debe resolver un problema, puede que la hija crezca tratando de resolver los problemas mediante las lágrimas.

Si analizamos mejor, podremos notar que las emociones que dominan nuestra manera de ser son las mismas con las que podríamos definir a nuestra familia. A eso se le llama "herencia familiar": no sólo heredamos de nuestros padres el color de ojos o pelo, sino también su manera de ser y de reaccionar frente a las situaciones tanto agradables como problemáticas.

Debemos hacer conciencia de la emoción que prevalece en nosotros y en nuestra familia para saber si ésta nos ayuda a mejorar, o si detiene nuestro crecimiento emocional. Si nos complica la vida, podemos realizar un cambio; es decir, un reaprendizaje emocional, en el cual aprenderemos a transformar la emoción que nos molesta en algo positivo.

En ocasiones no sabemos la razón de nuestro comportamiento; en la mayoría de los casos, lo aprendimos de nuestra familia. Si reconocemos esto, también podremos reflexionar si esa conducta es positiva o negativa para nuestra vida.

Herencia familiar. ¡Aguas! Los padres son los mejores maestros para enseñarnos a reaccionar y resolver problemas.

Para lograr un cambio, debemos reconocer primero nuestras emociones; este primer paso ya lo hemos aprendido a lo largo del presente capítulo. Una vez que sepamos qué emociones nos cuesta más trabajo controlar, el siguiente paso será cambiar nuestra manera de actuar y reaccionar. Hacerlo lleva tiempo ya que, hasta este momento de nuestra vida, es lo que hemos aprendido y con lo que hemos sobrevivido.

Esto no quiere decir que el cambio sea difícil: cuando se nos presente una situación en la que sintamos una emoción que no podemos controlar, tomemos consciencia de ella. Por ejemplo, si sentimos ira, podemos decir "estoy enojado", respirar hondo y profundo y pensar en posibles soluciones al problema antes de actuar de manera automática. En el siguiente capítulo abordaremos a fondo éste y otros problemas comunes en la pareja.

Nuestra manera de reaccionar frente al mundo tiene que ver con lo que hemos aprendido en nuestra familia.

Qué es la inteligencia emocional

La Inteligencia Emocional es el *conjunto de habilidades que sirven para expresar y controlar los sentimientos de una manera más adecuada en el terreno personal y social*. Incluye, por tanto, un buen manejo de los sentimientos, motivación, perseverancia, empatía y agilidad mental, justo las cualidades que configuran un carácter con una buena adaptación social.

La Inteligencia Emocional trata de conectar las emociones con uno mismo; saber la manera en que nos sentimos; vernos a nosotros mismos y a los demás de forma positiva y objetiva. *Es la capacidad de interactuar con el mundo de forma receptiva y adecuada.*

Las emociones han sido consideradas poco relevantes y se le ha dado más importancia al lado racional del ser humano: hay exámenes que miden nuestra habilidad matemática, nuestra cultura general o nuestra capacidad de racionalizar; sin embargo, son pocos los que determinan nuestra habilidad para encontrar pareja o para relacionarnos con otros.

Como una respuesta a ese hueco que existía en torno al papel que tienen las emociones en nuestra vida, nació la Inteligencia Emocional. Para ser una persona inteligente en la esfera emocional y social, debemos desarrollar los siguientes aspectos:

a) **Conocer muestras propias emociones**. Las personas que han aprendido a reconocer sus estados emocionales controlan más fácilmente su vida y les es más fácil tomar decisiones. Esto les ayuda a tener un mejor

conocimiento de sus recursos y a poner límites realistas de lo que se puede hacer.

¡Controla tus
emociones
y utilízalas
a tu favor!

b) **Manejar nuestras emociones.** Es una capacidad que nos permite tomar conciencia: controlar la ira o la tristeza nos ayuda a superar con mayor rapidez y de manera efectiva las adversidades que se nos presenten.

c) **Motivación.** Tener una motivación personal para conseguir a corto y largo plazo nuestros objetivos, nos ayuda a desarrollarnos de una mejor manera en nuestras labores diarias.

d) **Reconocer emociones en los demás.** Llevar esto a cabo es fundamental, ya que así nos relacionamos mejor con las personas. A esta capacidad de entendimiento se le llama empatía.

e) **Manejar las relaciones.** Nos sirve para tener un mayor crecimiento emocional.

Todo funciona mejor si echas mano de la inteligencia emocional.

Como ya mencionamos, la Inteligencia Emocional ayuda a tener una mejor relación de pareja, ya que gracias a sus técnicas aprendemos a resolver nuestros problemas, a reconocer nuestras emociones y a aprender a controlarlas. En el siguiente capítulo abordaremos el tema más a fondo.

La Inteligencia Emocional es el conjunto de habilidades que sirven para expresar y controlar los sentimientos de la manera más adecuada en el terreno personal y social; es un conjunto de técnicas que nos ayuda a tener una relación de pareja más sana y estable.

Capítulo 3

Aprende a resolver tus
problemas de pareja

Aprende a resolver tus problemas de pareja

> Ir sin amor por la vida es como ir al combate sin música, como emprender un viaje sin un libro, como ir por el mar sin estrella que nos oriente.
>
> STENDHAL

En los dos capítulos anteriores, expusimos diversos temas sobre las relaciones de pareja y realizamos ejercicios que nos ayudarán a mejorar nuestra vida diaria. En este capítulo reconoceremos, a través de sencillas actividades y dinámicas, la manera en que los pequeños detalles merman nuestra relación de pareja, y cómo podemos manejarlos para evitar que terminen con nuestra relación.

En el presente capítulo, revisaremos tanto las relaciones sanas como las enfermizas, para beneficiar la nuestra a partir de evaluar nuestra situación. También hablaremos de los problemas más comunes en la pareja y de sus posibles soluciones, mediante sencillos ajustes dentro de nuestra relación. Por último, retomaremos el tema de la Inteligencia Emocional, la cual es el tema fundamental de este libro y de los consejos que sugerimos en él. Recordemos que una de las facetas de la Inteligencia Emocional es saber relacionarse sana y adecuadamente con los demás.

Los problemas serán una constante: evita una tragedia, aprende a resolverlos.

Reeducándonos emocionalmente

Como ya hemos dicho, las emociones son reacciones frente a los acontecimientos; nuestros estados de ánimo responden a un suceso interno o externo. Cuando no logramos controlarlas, o reaccionamos de manera no adecuada, se dice que emocionalmente somos analfabetas.

¡Usa las palabras correctas! Ser hábiles en el manejo de las emociones te permite actuar de forma asertiva.

El término *Analfabetismo Emocional* fue introducido por Daniel Goleman, creador de la Inteligencia Emocional, para describir a todas aquellas personas que no expresan sus emociones o no tienen control sobre ellas, lo que les provoca problemas para relacionarse tanto en el trabajo como con ellos mismos.

La educación emocional es un tema que no se enseña en las escuelas ni en la casa: en el colegio nos enseñan matemáticas, geografía o español; en casa nos enseñan a hacer la tarea, a vestirnos, a acomodar nuestro cuarto; en pocas ocasiones tenemos oportunidad de crecer con un adulto que nos enseñe a tener un manejo adecuado de nuestras emociones.

Debemos aprender a ser asertivos, a actuar de manera correcta en el momento adecuado y a ser capaces de defender nuestros derechos y opiniones sin herir los sentimientos de los demás. Esto parece difícil porque a veces no sabemos distinguir qué es lo correcto o cuándo es el momento adecuado. Recordemos que antes de actuar debemos respirar, contar hasta diez, reflexionar y después actuar. No nos dejemos manejar por las emociones; recordemos que funcionan como un automóvil: éste no nos controla a nosotros, por el contrario, nosotros somos los dueños.

El término Analfabetismo Emocional describe a todas aquellas personas que no expresan sus emociones o no tienen control sobre ellas, lo que les provoca problemas para relacionarse tanto en el trabajo como con ellos mismos.

Qué es una relación sana

Siempre que iniciamos una relación deseamos que nuestra pareja nos trate bien y nos quiera tanto como nosotros a ella. Cuando en una relación existe apoyo y respeto mutuo, confianza, sinceridad y una buena comunicación, nos encontramos frente a una relación sana y de crecimiento.

Ingredientes para una relación sana: buena comunicación, confianza, apoyo y armonía.

Para saber si nuestra relación es sana, responde las siguientes preguntas:

- ¿Mi novio/a me acepta tal y como somos?

- ¿Actúo con naturalidad y no intento ser alguien más para que me acepte?

- ¿Confío en mi pareja?

- ¿Mi pareja me apoya en los malos momentos?

- ¿Mi pareja me apoya para seguir adelante con nuevos proyectos?

- ¿Compartimos nuestros logros?

- ¿Nos turnamos para escoger una película en el cine?

- ¿Frecuentamos tanto a sus amigos como a los míos?

Si la mayoría de tus respuestas fueron positivas (4 o más), entonces tienes una relación sana, y los ejercicios de este libro te ayudarán a mejorarla;

sin embargo, si la mayoría de tus respuestas fueron negativas, entonces es momento de que reflexiones qué es lo que está fallando en tu relación de pareja.

Una relación sana conlleva el respeto mutuo, la confianza, la sinceridad, el apoyo y una buena comunicación.

Qué es una relación enfermiza

Los principales síntomas de una relación enfermiza son: falta de respeto, insultos, intentos por controlar la relación y maltrato físico, psicológico y emocional. Si sientes que en tu relación no hay respeto, haz una pausa y piensa en dónde está el error para que lo soluciones.

SIGNOS DE ALARMA

Cuando iniciamos una relación, nos ilusionamos tanto que no nos damos cuenta de las diferencias que tenemos con nuestra pareja. Sin embargo, conforme pasa el tiempo la relación se va deteriorando y, en ocasiones, no nos damos cuenta hasta que es demasiado tarde. Para que esto no nos suceda, enlistaremos algunos signos de alarma. Así podremos reconocer si existen problemas en nuestra relación, y estaremos a tiempo de hacer algo para solucionarlos.

Falta de confianza, malentendidos, conflictos constantes y maltrato: relación enfermiza a la vista.
¡Ponte alerta!

Signos iniciales

- Discusiones y enojos frecuentes.

- No nos sentimos a gusto con la manera de ser de nuestra pareja.

- No nos ponemos de acuerdo al tomar decisiones.

- Alguno de los dos domina la relación y dice qué se debe hacer.

- Nos sentimos inferiores a nuestra pareja.

- Pensamos con frecuencia que nuestra pareja nos quiere lastimar.

Desgaste en la convivencia

Cuando una relación ha sido larga, los signos de alarma suelen ser más profundos y se reflejan en desórdenes emocionales más fuertes. Si hemos llegado a este punto, lo notaremos gracias a:

- **Depresión.** Ocurre cuando nos sentimos tristes por periodos de tiempo largos, y perdemos el interés por las cosas que nos gustaban o causaban placer; nos aislamos y nos dan ganas de llorar sin razón aparente.

¡Pon atención! Aprende a detectar los signos de alarma para que puedas actuar de forma oportuna.

- **Alteración del apetito.** Si comemos en exceso o, por el contrario, dejamos de comer.

- **Cambio de peso.** Si subimos o perdemos peso de manera repentina.

- **Problemas de sueño.** Si nuestros ciclos de sueño se ven descontrolados: dormimos en exceso o tenemos problemas de insomnio.

- **Ansiedad.** Si nos sentimos ansiosos y eso nos lleva a conductas que afectan, como mordernos las uñas.

- **Cansancio excesivo sin motivo aparente.**

- **Sentimientos de inutilidad o culpa.** Cuando creemos que no hacemos las cosas de manera correcta, y nos sentimos culpables por ello; o si sentimos que no somos buenos en nada.

- **Problemas de concentración.**

- **Intentos de suicidio.** O si pensamos en esto como una solución.

Ahora realicemos este *test* para que verifiquemos cómo se encuentra nuestra relación de pareja.

Ejercicio 9

Problemas en mi relación de pareja

Con este ejercicio sabrás si te encuentras en una etapa crítica en tu relación de pareja; de esta manera podrás solucionar tus problemas.

a) Busca una pluma o lápiz para llenar el cuestionario. Lo calificarás con base en los siguientes lineamientos:

(0) No ocurre

(1) Raramente

(2) Algunas veces

(3) Con frecuencia

(4) Siempre

b) En la línea izquierda escribe si representa un problema o no; en la de la derecha calificarás de acuerdo con los números mencionados arriba.

1. Cuando tenemos que discutir un problema o tomar una decisión:

a) No estamos de acuerdo.

b) Mi pareja se enoja.

c) Yo me enojo.

d) Yo cedo.

e) Mi pareja cede.

f) Discutimos.

g) Yo tomo las decisiones.

h) Mi pareja toma las decisiones.

i) Evitamos tomar decisiones.

j) Me siento ofendido.

k) Mi pareja se siente ofendida.

l) Discutimos sobre cosas triviales.

Este *test* es muy sencillo de calificar. Toma en cuenta las dos columnas: si en la izquierda escribiste en la mayoría de los espacios el número 4, significa que estás involucrado en una situación difícil, por lo que se te recomienda reflexiones sobre tu relación. Si del lado derecho la mayoría de tus respuestas son "Sí," significa que constantemente tienes problemas en tu relación; es hora de hacer un alto y poner en práctica los consejos que a continuación te damos.

Una relación se vuelve enfermiza cuando dentro de la pareja se faltan al respeto, se insultan, se tratan de controlar o existe maltrato de cualquier tipo.

Problemas más comunes de pareja

Ahora enlistaremos los problemas más comunes en la relación de pareja; probablemente algunos nos serán familiares.

1. Tener pensamientos negativos acerca de nuestra pareja.

   a) Creer que podemos adivinar lo que está pensando nuestra pareja.

   b) Interpretar erróneamente sus acciones y sacar conclusiones sin fundamento.

   c) Generalización de las ideas erróneas.

2. Errores en la comunicación.

   a) No decimos lo que sentimos.

   b) Exigimos demasiado.

   c) Tomamos las críticas de manera negativa.

   d) No sabemos escuchar.

   e) No nos interesamos en lo que nuestra pareja nos quiere decir.

La imaginación puede ser tu peor enemiga.

3. No sabemos controlar nuestras emociones.

a) Gritamos y nos exaltamos antes de hablar.

b) Somos intolerantes.

c) Somos violentos con nuestra pareja.

4. Inseguridad y relaciones pasadas.

a) Reflejamos vivencias de anteriores parejas con la relación actual.

5. Decepción o vuelta a la realidad.

a) Promesas quebrantadas, y esperamos mucho del otro.

Algunos de los problemas más comunes en la relación de pareja son: tener pensamientos negativos acerca de esta, errores de comunicación, falta de control en nuestras emociones, inseguridad y reflejo de relaciones pasadas.

Resistencia al cambio

Antes de exponer la manera en que podemos resolver los problemas más comunes, cabe recordar que es importante iniciar el cambio con una actitud positiva, ya que, de lo contrario, no lograremos el resultado deseado. He aquí un listado de los pensamientos negativos más comunes que manifestamos a la hora de intentar cambiar:

1) Mi cónyuge es incapaz de cambiar.

2) Nada puede mejorar nuestra relación.

3) La gente está hecha a su manera y no puede cambiar.

4) He sufrido bastante y no tengo ganas de seguir intentándolo.

5) Esto sólo pospondrá lo inevitable.

6) Ha sido demasiado el daño.

7) Si no nos hemos llevado bien hasta ahora, ¿cómo puedo esperar que nos llevemos bien en el futuro?

8) No haré un esfuerzo a menos que también lo haga mi pareja.

9) No es justo que yo deba hacer todo el trabajo.

Es momento de sacudirnos esos pensamientos. Así podremos aprovechar mejor los consejos que nos brinda este manual. Recuerda que podemos cambiar si lo haces con una actitud positiva y desde cero. Si nos centramos en el pasado, sólo limitaremos nuestro trabajo y no podremos cambiar nuestro futuro. Tomemos en cuenta que debemos ver las situaciones de otra manera, por eso trabajaremos con cada uno de los problemas que aquejan nuestra relación.

Por cierto, cabe mencionar que cuando nos referimos a un problema, no lo hacemos con la intención de señalar que se trata de algo difícil o imposible de resolver; por el contrario, un problema es una situación que se nos presenta en la vida, que no sabemos resolver y que, para poderla superar, tendremos que poner mucho esfuerzo. Sin embargo, esta situación nos ayudará a ser mejores personas y a crecer personalmente.

Se debe tener una actitud positiva para lograr un cambio en nuestra relación de pareja

Cómo detectar los problemas más frecuentes.

Estrategias para afrontarlos

1. TENER PENSAMIENTOS NEGATIVOS ACERCA DE NUESTRA PAREJA

Uno de los problemas más comunes en una relación nace de nosotros mismos, de nuestras creencias, con las que juzgamos el comportamiento de nuestra pareja. Pongamos un ejemplo:

Todos los problemas tienen solución, el primer paso consiste en cambiar de actitud.

Pablo y Daniela vienen de regreso de una fiesta. Desde que subieron al coche, él ha estado muy callado. Ella cree que está enojado y que quizá se comportó de manera indebida durante la fiesta, por lo que comienza a sentirse mal y adopta una actitud silenciosa. Ante esto, el regreso se vuelve incómodo.

Daniela interpretó el silencio de Pablo y creyó ser la responsable de su enojo; sin embargo, nunca le preguntó la razón por la que estaba serio y distante. Su comportamiento podría responder a otras causas, como estar cansado después de haber tenido un día agitado.

Como se puede observar, es importante considerar una gama de posibles razones por las que una persona se comporta de cierta manera. De todos modos, lo más atinado es preguntar de manera directa. Así, además de evitar un problema, fomentamos la comunicación.

Profundicemos un poco más en algunas de las diferentes interpretaciones que solemos hacer:

¡Atrévete a preguntar! Suponer y guardar silencio sólo ocasionan más problemas.

a) Creer que podemos adivinar lo que nuestra pareja está pensando

- En nuestras relaciones intentamos comprendernos, tener cosas en común y llevar una convivencia agradable. Intentamos mostrar lo mejor de nosotros y nos da miedo el rechazo o que afloren nuestros defectos. Ese miedo e inseguridad provoca pensamientos negativos, mismos que tendemos a reflejar en otras personas. Creemos que, al igual que nosotros, que no aceptamos nuestros defectos, los demás nos criticarán o se alejarán de nosotros.

- Cuando intentamos adivinar qué piensan los demás, nos ocasionamos problemas, pues podemos inventar algo que tal vez no sea cierto.

Muchos malos entendidos surgen cuando se intenta adivinar el pensamiento de los otros. Recuerda que no somos magos ni psíquicos: nunca sabremos lo que en verdad piensa el otro; lo mejor es preguntar: ¿qué tienes? o ¿qué estás pensando?

b) Interpretar de manera equivocada las acciones y emociones de nuestra pareja

- Esto no sólo ocurre al querer adivinar qué piensa nuestra pareja. También sucede al interpretar las causas de su conducta. Ambos comportamientos van ligados: si nuestra pareja actúa de cierta manera, interpretamos su comportamiento con base en suposiciones, además de que le inventamos pensamientos y emociones que no sabemos si son reales o no.

c) Pensamientos automáticos

- Los pensamientos automáticos son aquellos que nos vienen a la mente como una reacción involuntaria. Por ejemplo, si en el pasado tuvimos una pareja que nos engañó o alguno de nuestros padres hizo eso, pensamos con frecuencia que lo mismo nos puede pasar. También, por ejemplo, si nos hemos sentido abandonados y con falta de cariño, podemos llegar a pensar que nuestra pareja nos va a dejar si un día no llega a nuestra cita o si no nos contesta el teléfono. Muchos de estos pensamientos terminan cuando nuestra pareja no hace lo que pensamos.

d) Generalización de las ideas erróneas

• Esto ocurre si tenemos pensamientos negativos todo el tiempo; es decir, si un día nuestra pareja tiene un contratiempo y llega tarde pensamos que es un impuntual, y cada vez que nos citemos, pasen cinco minutos y no llegue, pensaremos "como siempre, va a llegar tarde".

Los siguientes ejercicios nos ayudarán a evitar los pensamientos negativos:

Ejercicio 10

Ideas acerca de mi relación de pareja

Con este ejercicio aprenderás a reconocer las ideas que tienes acerca de las relaciones de pareja, pues muchas veces, influido por la televisión y la publicidad, haces suposiciones erróneas de la realidad, lo cual genera falsas expectativas y desencanto.

a) Con un lápiz o pluma llena el siguiente cuestionario. Escribe a la izquierda de cada frase el número que represente mejor lo que piensas. Los números significan lo siguiente:

(1) En total desacuerdo.

(2) Difiero en buena parte.

(3) Un poco en desacuerdo.

(4) Ni de acuerdo ni en desacuerdo.

(5) Un poco de acuerdo.

(6) En buena parte, estoy de acuerdo.

(7) En completo acuerdo

_____ a) Si una persona tiene dudas acerca de la relación, significa que algo no anda bien en ella.

_____ b) Si mi pareja en verdad me quisiera, no discutiríamos.

_____ c) Si mi pareja se enoja conmigo, indica que en realidad no me ama.

_____ d) Mi pareja debería saber qué es importante para mí sin tener que decírselo.

_____ e) Si tengo que pedir lo que quiero, eso ya lo echa a perder.

_____ f) Si a mi pareja en realidad le importara, haría lo que le pido.

_____ g) Una buena relación no debería tener problema alguno.

_____ h) Si dos personas se aman de verdad, no hay necesidad de construir la relación.

_____ i) Si mi pareja hace algo que me perturba, pienso que tiene la intención de lastimarme.

_____j) Cuando mi pareja expresa que no está de acuerdo conmigo frente a otras personas, considero que no le importo demasiado.

_____k) Si mi pareja me contradice, pienso que no me respeta.

_____l) Si mi pareja hiere mis sentimientos, pienso que él/ella es malo/a.

_____m) Mi pareja trata de hacer las cosas a su manera.

_____n) Mi pareja no escucha lo que le digo.

b) Evalúa el cuestionario de la siguiente manera: primero cuenta el total de puntos que obtuviste y despúes coteja el puntaje con la siguiente tabla:

c) Muchas de las falsas ideas de lo que debe ser una pareja nos llevan a esperar un comportamiento del otro que no siempre será posible obtener. Si obtuviste más de 56 puntos, ahora sabes lo que no debes esperar de una relación, que tu visión de pareja está distorsionada y que eso te lleva a tener más dificultades con ella.

Reflexión

Es importante cambiar tu manera de pensar, considerando los siguientes enunciados:

- Es natural que las parejas tengan puntos de vista u opiniones diferentes ya que todos buscamos cosas distintas. Esto puede ser motivo de discusión en algunas ocasiones, pero puede resolverse mediante una comunicación abierta. El amor es una emoción que, al igual que los sentimientos, puede ser opacado por otro más fuerte por un periodo de tiempo. No podemos mantener una misma emoción las 24 horas del día; no es que se deje de amar al otro, sino que tenemos otras actividades a las cuales también debemos invertirles tiempo y espacio.

- Si mi pareja se enoja conmigo, indica que somos seres humanos con gustos y puntos de vista distintos, que también a veces co-

metemos errores en cuanto a la convivencia y que ella es una persona, que como
el resto del mundo, se va enojar de vez en
cuando.

• Mi pareja no es adivino; por tanto, no es su
obligación saber qué deseo o qué es importante para mí; en cambio, sí es mi responsabilidad comunicarme y hacer saber qué
quiero y busco.

• Es importante pedir lo que realmente quiero,
para así poder obtenerlo.

• Mi pareja no es mi esclavo; por eso no siempre tiene que estar a mi disposición y hacer
lo que yo le pido a cada momento.

• Las relaciones sanas tienen problemas; la
diferencia entre una relación sana y una enfermiza radica en que las primeras resuelven
los problemas mediante el diálogo y además
establecen a acuerdos; las segundas no resuelven los problemas, se agravan mediante
la agresión o la mala comunicación.

| 0-32 puntos | Si obtuviste esta puntuación, significa que tienes una idea clara y emocionalmente estable de lo que es una relación de pareja. Estás consciente de que tu pareja está contigo para acompañarte y porque te ama, y no para cubrir tus necesidades de afecto o posesión. También sabes que es normal tener diferencias, pero que éstas pueden ser resueltas a través del diálogo. |

33-56 puntos	Estás en un punto medio, es decir, tienes algunas ideas estables y sanas con respecto a las relaciones; sin embargo, de vez en cuando, o en algunos aspectos, crees que tu pareja está contigo para satisfacer tus necesidades. Tienes algunas ideas incorrectas sobre el amor, como, por ejemplo, que no deben existir riñas, o que tu pareja está ahí para lastimarte. Si te encuentras en este puntaje, significa que debes trabajar en pequeños detalles para mejorar tu relación.

| 56 puntos en adelante | Si obtuviste más de 56 puntos, significa que tus ideas acerca de lo que es una relación de pareja difieren de la realidad: crees que tu pareja está ahí para satisfacerte, que no deben existir problemas y que debe saber cuáles son tus necesidades y deseos. Esto te lleva a tener problemas al no saber distinguir entre la realidad y lo que crees que es una relación de pareja. |

- Una relación siempre se construye mediante el trabajo arduo de los dos.

- Si mi pareja hace algo que me molesta es importante hacérselo saber.

- Cuando mi pareja no está de acuerdo conmigo ante otras personas, significa que está siendo sincero y dando su opinión acerca de un asunto en particular.

- Si mi pareja hiere mis sentimientos es porque algo que dijo o hizo no me gustó y me sentí lastimado. Es importante platicar este tipo de situaciones, ya que la mayoría de las veces no se hacen a propósito, sino que son malos entendidos.

- Mi pareja trata de hacer las cosas a su manera, como yo intento hacerlas a la mía, por eso es importante la comunicación.

- A veces creemos que el otro no escucha lo que decimos cuando en realidad es porque no decimos lo que deseamos, no nos comunicamos correctamente con el otro. Es importante aprender a decir exactamente lo que se desea; de esta manera fomentarás la comunicación con tu pareja y así serás escuchado y comprendido.

Ejercicio 11

Cambio mi forma de pensar

En este ejercicio aprenderás a cambiar los pensamientos automáticos, a dejar de tratar de adivinar el pensamiento de tu pareja y de interpretar sus actos.

a) Comenzaremos con los siguientes ejemplos, en los que se explica la manera en que se dan los sucesos. Utilizaremos dos nombres ficticios: Wendy y Daniel:

1. Lo mismo ocurre contigo: cuando algo pasa, interpretas, le sigue un pensamiento automático y luego una emoción que te afecta de manera negativa. Ahora intenta identificar tus pensamientos automáticos. Piensa en alguna situación que te haya generado algún tipo de malestar emocional con tu pareja; identifica qué pensamiento pasó por tu mente en ese momento; escríbelo a continuación junto con la manera en que reaccionaste. Repite el procedimiento tres veces más:

Situación o suceso relevante	Pensamiento automático	Reacción emocional
Wendy advierte que Daniel va llegar tarde	Él no quiere volver a casa	Se genera enojo en mí
Daniel advierte que va tarde	Mi mujer estará enojada	Se genera una reacción de ansiedad
Wendy decide no preparar la cena	Mi pareja no se preocupa por mí	Se genera un sentimiento de tristeza

Enlista los pensamientos más comunes y los que más te afectan. Algunos pensamientos automáticos que pueden venir a tu mente pueden ser:

a) Ella no tiene arreglo.

b) Él es completamente egoísta.

c) Ella es incapaz.

d) Él nunca hace lo que promete.

e) Nada de lo que yo hago le gusta.

f) Nunca hace nada bien.

Situación o suceso relevante	Pensamiento automático	Reacción emocional

2. Ahora trabaja sobre la lista de pensamientos que escribiste. Cuestiona tu pensamiento automático. Interpreta de otra manera: si tu pareja llega tarde, tu pensamiento automático es que no le importas y por eso siempre llega tarde; en vez de eso, imagina que hay un tránsito pesado o que salió tarde de trabajar. Piensa en el mayor número de opciones posibles y busca evidencia que las corrobore.

No seas impulsivo. Antes de reaccionar o tomar alguna decisión drástica descarta todas las posibilidades.

3. Dentro de esas opciones busca la más realista. Con ella realizaremos un cambio de marco. Ve el lado positivo a esas cualidades o a esos eventos relevantes que tanto te afectan, por ejemplo:

Visión negativa	Cambio de marco
Ella es dominante.	Ella es realmente decidida, logra hacer muchas cosas, contribuye a las entradas familiares.
Ella es crítica.	Es aguda e incisiva, es brillante, no tiene intención de herirme.
Él es perezoso.	Es cómodo, flexible.
Es demasiado pasivo.	Me acepta totalmente.
Es irresponsable.	Me admira por lo que he hecho.

Reflexión

Con este ejercicio podrás darte cuenta que no es necesario cambiar tu personalidad para promover una relación más armoniosa.

2. ERRORES EN LA COMUNICACIÓN

Tener una charla agradable con nuestra pareja y poder expresar nuestras ideas, son experiencias gratificantes, además de que nos acercan más a ella, se crea un sentimiento de complicidad y un contacto más estrecho.

La conversación es la esencia de la relación; cada uno sabe lo que el otro quiere decir y siente gran felicidad al saber que es comprendido. Sin embargo, cuando una relación falla, el placer que regularmente produciría la conversación se cambia por quejas, desaciertos y malos entendidos.

Pero ¿cómo se perdió la comunicación? El diálogo se pierde en ocasiones con el paso del tiempo; esto puede ser porque se acumulan intereses y perspectivas distintos, por la rutina, los conflictos o malos entendidos. Aun cuando se haya tenido siempre una charla amena, con el paso de los meses o los años, cualquier plática, por más sencilla que parezca, puede desembocar en un problema.

¡Mejora la comunicación! Aprende a escuchar a tu pareja.

Cuando tenemos problemas de comunicación con nuestra pareja, pensamos:

"No puedo ser sincero (a) con mi pareja".

"No puedo ser espontáneo".

"Mi pareja me grita todo el tiempo".

"La relación está estancada".

Para identificar mejor los problemas de comunicación con nuestra pareja, realiza el siguiente ejercicio:

Ejercicio 12

Problemas en el estilo de comunicación

a) A continuación se presenta una lista de conductas que pueden causar problemas. En la columna de la izquierda señala la frecuencia con la que te apoya; manifiesta estas conductas contigo. Utiliza los siguientes números para indicar la frecuencia:

   (0) No ocurre

   (1) Raramente

   (2) Algunas veces

   (3) Con frecuencia

   (4) Siempre

b) En la columna de en medio, indica cuánto te molesta el problema con base en la siguiente escala:

   (0) En absoluto

   (1) Escasamente

(2) Moderadamente

(3) Bastante

c) Califica las conductas que usas con tu pareja en las columnas que corresponden. En la columna de la derecha, señala la frecuencia con que manifiestas estas conductas con tu pareja.

	Tu pareja	Me molesta	Tú con tu pareja
No escucha			
Habla demasiado			
No habla suficiente			
Interrumpe			
Muy vago			
Nunca va al grano			

	Tu pareja	Me molesta	Tú con tu pareja
Nunca asiente con la cabeza ni indica acuerdo			
Nunca emite señales receptivas			
No da oportunidad de hablar			
No discute temas difíciles			
Habla demasiado sobre temas difíciles			
Pregunta demasiado			

No hace suficientes preguntas			
Calla a su pareja mediante reproches			
Se retira cuando se altera			

Reflexión

Con este ejercicio observarás qué conductas afectan la comunicación con tu pareja y cuáles son las que ella manifiesta contigo.

Ejercicio 13

Problemas psíquicos en la comunicación

a) Lee los siguientes enunciados. Junto a cada uno coloca el número que indique la frecuencia con la que experimentas estos sentimientos.

   (0) No ocurre

(1) Raramente

(2) Algunas veces

(3) Con frecuencia

(4) Siempre

Reflexión

Después de detectar los problemas con tu pareja es tiempo de arreglarlos, pero ¿cómo puedes mejorar la comunicación con ella? Para eso, sigue estos consejos:

	Me siento inhibido de discutir mis problemas con mi pareja.
	Me resulta difícil expresarle mis sentimientos a mi pareja.
	Temo pedir lo que deseo.
	No creo lo que dice mi pareja.

	Temo que lo que diga enfadará a mi pareja.
	Mi pareja no considera seriamente mis preocupaciones.
	Mi pareja me hace parar levantando su voz.
	Mi pareja no quiere oír hablar sobre mis necesidades y sentimientos.
	Temo que si comienzo a manifestarle mis sentimientos, perderé el control sobre mis emociones.
	Me preocupa expresarme con sinceridad, porque en el futuro mi pareja puede usar esta información en mi contra.

> Si expongo mis verdaderos sentimientos, posteriormente podré arrepentirme de lo que dije.

- Sintoniza el canal de tu pareja. Ponte en el lugar de ella y trata de comprender lo que te dice.

- Demuestra que la escuchas. Es importante hacer afirmaciones o utilizar algunas palabras breves como "sí," "ok," "te escucho"; también es importante mirarla a los ojos y no mostrar ansias o desesperación. Mantén una postura firme y que te permita escuchar con atención.

- No interrumpas. Permite que tu pareja se exprese. Cuando consideres necesario puntualizar algo, entonces pídele que sea más claro y preciso sobre lo que conversan.

- Formula preguntas hábilmente. No hagas preguntas ofensivas o que no resolverán el problema. Por ejemplo, en vez de decir, ¿por qué eres malo conmigo y me haces sufrir?, haz una pregunta que puntualice el problema y te lleve a una respuesta, como: "cuando regresas de trabajar a veces llegas enojado y tiendes a gritarme, y eso me hace sentir mal, ¿crees que en vez de gritar, podrías primero llegar, descansar y luego hablar conmigo?".

• Emplea tacto y diplomacia. Recuerda que todo lo que digas va a producir un cambio en la relación, así que antes de hablar, piensa lo que le vas a decir a tu pareja.

3. No saber controlar nuestras emociones

Es común que muchos de nuestros problemas sean ocasionados por no saber controlar nuestras emociones. La que más problemas nos trae y es la más difícil de controlar es el enojo, por lo que nos centraremos en ella.

El enojo, como cualquier otra emoción, nos sirve para algo. Tiene tanto efectos positivos como negativos, a continuación los exploraremos:

Efectos positivos

- Mi pareja se comportó mejor después del episodio.

- Me sentí mejor.

- Mi pareja se sintió mejor.

- Replicar al enojo me protegió cuando mi pareja empezó a ofenderme.

- Mi pareja me escuchó, lo que no ocurre cuando hablo de un modo normal.

- Experimenté un alivio y una descarga de la tensión.

- Disipó la atmósfera y pudimos desviar nuestra atención hacia otras cosas.

- Nos amamos más después de tener "una buena discusión".

- Solucionamos nuestra disputa.

Esto es algo de lo que podemos pensar después de experimentar el enojo hacia nuestra pareja; sin embargo, debemos tener cuidado de que no sean sólo falsas ilusiones de que la situación se está resolviendo, pues de lo contrario, con el tiempo, puede mermarse la comunicación y detonar otros conflictos. Ahora veamos los efectos negativos:

Efectos negativos de mi expresión de enojo:

- Fui menos eficaz, más torpe o incluso incoherente al presentar mi argumento o queja.

- Dije e hice cosas de las cuales me arrepentí.

- Mi pareja desestimó o desvirtuó la validez de lo que dije, hizo a un lado mis ideas por considerar que eran irracionales.

- Mi pareja ni siquiera escuchó mi mensaje porque estaba envuelto en una nube de hostilidad.

- Mi pareja sólo reaccionó a mi hostilidad y tomó revancha.

- Mi pareja se sintió herida por mi ataque.

- Nos vimos comprometidos en un ciclo vicioso de ataque y contraataque.

Saca tu coraje
de manera
inteligente.
Evita los
insultos y da
preferencia a
los comentarios
constructivos.

Si expresamos abiertamente nuestro enojo y de manera agresiva, eso puede tener consecuencias tanto positivas como negativas. Sin embargo, siempre será mejor tranquilizarnos y cambiar la manera de expresarnos; cambiemos las provocaciones por comentarios más constructivos, como:

Expresiones provocativas	Expresiones constructivas
Eres un sinvergüenza por interrumpirme cuando hablo por celular con mi familia.	En verdad me molesta cuando interrumpes mis conversaciones telefónicas.
Eres un canalla por criticarme delante de mis amigos.	Me altera que me critiques frente a nuestras amistades.
Eres demasiado haragán para servirte solo cuando vienes a comer a mi casa.	Desearía que te acomidieras un poco más cuando vienes a visitarme.
Eres un descarado al burlarte de mi forma de hablar.	Me molesta cuando bromeas por mi acento al hablar.

¿Cómo podemos disipar el enojo y cambiar las expresiones? Te recomendamos hacer lo siguiente:

1) **Aclara el problema.** Averigua qué le molesta a tu pareja. Si existe más de uno, es importante ir trabajando uno a la vez.

2) **Calma a tu pareja.** Acepta las críticas e insiste en que se calme para solucionar el problema.

3) **Concéntrate en solucionarlo.**

4) **Obtén su atención.**

5) **Programa una plática con tu pareja.** Ya que tengan planeado el tiempo para ella, ten en cuenta estas sugerencias sobre lo que debes evitar:

- Evita frases como "eres un fracaso total como pareja"; es mejor "lo que hiciste el otro día me enojó mucho". Él o ella puede participar de tu sentimiento de dolor, lo que no debe hacer es denigrarte o menospreciarte.

- No insultes a tu pareja.

- No puntualices sus zonas vulnerables, exprésate sin agredir o utilizar adjetivos negativos.

- Al mencionar situaciones del pasado en las que la conducta de nuestra pareja nos afectó, es importante hacerlo sin reclamar, sino poniéndolo como ejemplo de algo que te afectó, no te gustó y deseas que cambie.

6) **Sal a caminar un rato.**

4. INSEGURIDAD Y RELACIONES PASADAS

Uno de los principales motivos de separación de parejas reside en que no podemos superar el pasado: si hemos tenido relaciones violentas o conflictivas en el pasado y nos han lastimado, creemos que pasará de nuevo lo mismo.

También la inseguridad y la falta de confianza en nosotros mismos se reflejan en los problemas de pareja, creemos no ser lo suficientemente buenos y que en cualquier momento nos pueden abandonar. Estos problemas vienen, en ocasiones, desde nuestra familia: si de pequeños no nos dieron seguridad o se burlaban de nuestros defectos, entonces crecimos con complejos que nos impiden relacionarnos adecuadamente con los demás

Sal de las sombras. Deja el pasado el atrás y concéntrate en lo que tienes ahora.

Para superar el pasado, ya sea porque el suceso traumático venga de la familia o de alguna pareja, vamos a hacer el siguiente ejercicio:

Ejercicio 14

Deja ir el pasado

En este ejercicio superarás algún suceso de tu pasado, ya sea familiar o de pareja, para así vivir en el presente y no dejar que esa situación dolorosa siga mermando tu relación de pareja.

a) En una hoja escribe la siguiente frase:

Recuerdo aquella vez en la que, estando contigo, sufrí tanto. De ese día recuerdo _____. Recuerdo los momentos maravillosos y desagradables que pasé contigo.

b) Esta carta estará dirigida a esa persona con la que vivimos esa experiencia. Es importante que dejes fluir tus emociones de manera espontánea, escribe lo primero que se te venga a la mente, lo que nazca de tu corazón, tanto lo positivo como lo negativo.

c) Una vez que termines, léelo. Si tienes ganas de llorar, hazlo; deja fluir la emoción que sientes.

d) Por último, dale las gracias a esa persona y despídete de ella.

e) Una vez hecho esto, quema la carta.

Reflexión

Recuerda que debes vivir en el presente y que si un suceso del pasado no te está dejando crecer, debes dejarlo ir. No podemos cambiar el pasado, pero sí la forma de verlo. Si aprendes de ese suceso y de esa persona con la que sufriste, crecerás como persona y tendrás una mejor convivencia con tu pareja actual sin reflejarle los dolores y traumas que vienen del pasado.

5. Decepción o vuelta a la realidad

Como ya hemos mencionado anteriormente, las relaciones pasan a través de diferentes fases. Una de ellas es la vuelta a la realidad. Cuando hemos despertado del sueño y nos damos cuenta de la realidad y de los defectos de nuestra pareja, surgen problemas por las diferencias entre lo que esperamos de ella y lo que en realidad es.

El amor para toda la vida sí existe, pero hay que cultivarlo día con día.

Esas pequeñas cosas que antes no importaban ahora nos molestan y son motivos de riñas que pueden volverse muy frecuentes. Como ya se ha dicho, es esa la razón por la que muchas parejas se separan en esta etapa: no logran aceptar al otro tal y como es. ¿Cómo podemos lograrlo?

Primero, vamos a analizar si éste es el problema por el que estamos pasando. Si nos molestamos con nuestra pareja por motivos que antes no percibíamos, si nos irritamos con facilidad y empezamos a ver sus defectos y nos disgustan más, o si dejamos de justificarlos y minimizarlos, sabremos que estamos viviendo esta situación.

¿Cómo vamos a lograr aceptar al otro? Es muy simple, la aceptación nace del amor: si no amas lo suficiente a tu pareja será difícil aceptarla tal y como es, y seguramente la relación terminará. Es importante considerar el grado de compromiso que existe en la relación; ambos deben comprometerse y poner de su parte para que funcione.

Amar significa que no vamos a juzgar al otro, que no intentaremos cambiarlo, sino convivir con él, con sus virtudes y sus defectos. Al amar profundamente, no criticamos, lo amamos tal y como es; si no lo logramos, nuestra relación no perdurará. Otro consejo para aceptarlo reside en aceptarnos a nosotros mismos: cuando existe algo en nuestra pareja que no nos gusta, es porque existe algo en nosotros mismos que nos molesta y no hemos podido cambiar. Es por eso que al detectar sus defectos nos preguntamos: ¿se parece a mí?, ¿es algo que yo no he podido cambiar? Si la respuesta es positiva, trabajemos en ello. El esfuerzo se debe realizar en conjunto: tu pareja también tiene que poner de su parte para hacer lo propio, pero recordemos que somos los unicos que podemos cambiar.

Pequeños consejos para mejorar tu relación de pareja

Por último, enlistaremos algunos consejos adicionales para mejorar nuestra relación de pareja.

- Las parejas pueden superar sus problemas si son capaces de reconocer que gran parte de sus frustraciones y enojos no se originan porque sean incompatibles, sino que provienen de pequeños malentendidos por una deficiente comunicación y por prejuicios sobre el comportamiento del otro.

- Los malos entendidos se originan cuando creamos una imagen errónea del otro. Esta distorsión provoca que le atribuyamos intenciones y pensamientos que no tiene o siente. Por ello se recomienda aclarar los malos entendidos mediante una comunicación honesta y directa.

- La pareja debe asumir la responsabilidad y el conocimiento de que pueden mejorar su situación. Siempre existirán opciones; puedes recurrir a muchos métodos para lograr que tú y tu pareja sean más felices.

- Adoptar una posición sin culpa y sin reproches les permitirá enfocar los problemas de forma más real y resolverlos con mayor facilidad.

Recordemos que no es difícil lograr un cambio y resolver los problemas. Dice un dicho popular que lo único que no puede resolverse es la muerte; mientras haya vida, todo tiene solución. Si llevamos a cabo los consejos de este libro, seguro tendremos una relación más próspera y de crecimiento.

Bibliografía

- Armenta, J., "Empatía y Psicoterapia: Las vicisitudes del acompañamiento centrado en la persona", en *Revista de Psicología Humanista y Desarrollo Humano*, Prometeo, No. 28, pp. 60-63, 2001.

- Beck, A., *Con el Amor no Basta*, Paidós, Nueva York, 1990.

- Bisquerra, R., *Educación Emocional y Bienestar*, Praxis, Barcelona, 1999.

- Branden, N., *La Psicología del Amor Romántico*, Paidós, Barcelona, 2000.

- Carter, S, Sokol, J., *Del amor al compromiso. Para alcanzar una relación de pareja estable*, Urano, Barcelona, 2000.

- Cervantes, V., *El ABC de los mapas mentales*, Asociación de Educadores Iberoa-mericanos, México, 1999.

- Diez, F., Tapia, G., *Herramientas para trabajar en mediación*, Paidós, Buenos Aires, 2006.

- Gardner H., *Inteligencias Múltiples: La teoría en la práctica*, Paidós, Barcelona, 1995.

- Goleman, D., *La Inteligencia Emocional*, Punto de Lectura, México, 1995.

- Levy, N., *La Sabiduría de las Emociones*, Plaza & Janes, México, 2001.

- Lange, S., *El libro de las Emociones*, EDAF, México, 2000.

- Marandón, G., "Más allá de la empatía hay que cultivar la confianza: claves para el encuentro intercultural", en *Revista Cidob D'affers Internacionals*, Mayo-junio, pp. 61-62, 2001.

- Redorta, *Cómo analizar los conflictos. La tipología de los conflictos como herramienta de mediación*, Paidós Mediación, Barcelona, 2004.

- Reyes, T., *Relación entre estilos de negociación en la pareja y la satisfacción de necesidades afectivas*, Tesis de Maestría, COPHAC, México, 2002.

- Rivera, A.S. y Díaz-Loving R., *La cultura del poder en la pareja*, UNAM, Facultad de Psicología, México, 2002.

- Torrabadella, P., *Cómo Desarrollar la Inteligencia Emocional*, Integral, México, 1998.

- Vallés, A. y Vallés, C., *Programa DIE. Desarrollando la inteligencia Emocional*, EOS, Madrid, 1999.

Revistas

- Rauqel Schlosser, director, *Interior. Revista de Constelaciones Familiares y Sistémicas*, Instituto Bert Hellinger de México, México.

Índice

INTRODUCCIÓN 5

CAPÍTULO I

Las relaciones de pareja 11

Ejercicio 1.
   ¿Conozco la palma de mi mano? 22

Ejercicio 2.
   Me reconozco 24

Etapas en la relación de pareja 26

Test 27

Primera etapa.
Deseo y atracción 31

Segunda Etapa.
Enamoramiento 33

Tercera Etapa.
Lucha por el poder 36

Cuarta Etapa.
Amor real 38

Quinta Etapa.
Vínculo o compromiso 40

Ejercicio 3.
Elección de pareja 42

El amor en la pareja 44

Ejercicio 4.
Me quiero y me acepto como soy 50

Ejercicio 5.
Conozco mis cualidades y defectos 52

Capítulo II

La inteligencia emocional 57

Las emociones 62

Ejercicio 6.
Aprendo a sentir 65

Las emociones y su función 67

Ejercicio
7. Emociones buenas y malas dentro
de mi relación de pareja 71

Ejercicio 8.
Cómo reconozco mis emociones 74

La familia y las emociones 76

Qué es la Inteligencia Emocional 79

Capítulo III

Aprende a resolver tus problemas
de pareja 85

Reeducándonos emocionalmente 89

Qué es una relación sana 91

Qué es una relación enfermiza 93

Signos de alarma 93

Ejercicio 9.
    Problemas en mi relación de pareja 97

Problemas más comunes de pareja 100

Resistencia al cambio 102

Cómo detectar los problemas más

frecuentes.
Estrategias para afrontarlos 105

Ejercicio 10.
    Ideas acerca de mi relación de pareja ... 111

Ejercicio 11.
    Cambio mi forma de pensar 120

Ejercicio12.
    Problemas en el estilo de
    comunicación 127

Ejercicio 13.
Problemas psíquicos en la
comunicación 130

Ejercicio 14.
Deja ir el pasado 142

Pequeños consejos para mejorar tu
relación de pareja 146

BIBLIOGRAFÍA 149

Esta obra se terminó de imprimir en Junio de 2011, en los talleres de
Grupo Comercial e Impresos Condor, S.A. de C.V.,
Norte 178 No. 558, Col. Pensador mexicano, deleg. Venustiano Carranza, C.P. 15510, México, D.F.,
y el tiro fué de 3,000 ejemplares más sobrantes para reposición, E-mail: impresoscondor@hotmail.com